Disney · PIXAR

SENS DESSUS DESSOUS

Bienvenue au Quartier cérébral

Publié par Presses Aventure, une division de
Les Publications Modus Vivendi inc.
55, rue Jean-Talon Ouest
Montréal (Québec) H2R 2W8
CANADA
www.groupemodus.com

Publié pour la première fois en 2015 par Random House sous le titre
original *Welcome to Headquarters*.

Éditeur : Marc G. Alain
Traductrice : Karine Blanchard

Dépôt légal — Bibliothèque et Archives nationales du Québec, 2015
Dépôt légal — Bibliothèque et Archives Canada, 2015

ISBN 978-2-89751-146-3

Nous reconnaissons l'aide financière du gouvernement du Canada par l'entremise
du Fonds du livre du Canada pour nos activités d'édition.

Gouvernement du Québec — Programme de crédit d'impôt pour l'édition de livres —
Gestion SODEC

Imprimé en Chine

Disney · PIXAR

SENS DESSUS DESSOUS

Bienvenue au Quartier cérébral

Écrit par Apple Jordan
Illustré par les artistes
de Disney Storybook

Voici Riley !

Elle a onze ans.

Je suis Joie, l'une des
Émotions de Riley.
J'habite le Quartier cérébral,
dans le cerveau de Riley.
Mon travail, c'est de faire
en sorte que Riley soit
heureuse.
Je vais te faire visiter les lieux.

Riley est une fille très heureuse. Elle a de bons amis et une famille aimante.

Les souvenirs de Riley sont
stockés dans des sphères.
Les souvenirs heureux sont jaunes !

Riley a aussi d'autres Émotions.
Colère s'assure que ce que vit
Riley soit toujours juste.
Peur fait en sorte que
Riley soit en sécurité.
Dégoût tient Riley loin
des choses répugnantes.

Voici Tristesse.
Je ne suis pas sûre de ce
qu'elle fait.

Riley mène une belle vie !

Quand Riley est heureuse,
nous sommes heureux !

Riley a cinq
îles de Personnalité.
Elles font d’elle qui elle est.

Il y a l’île de la Famille,
l’île de l’Honnêteté,
l’île du Hockey, l’île de l’Amitié
et l’île des Bêtises.

Voici le Train de la Pensée !
Chaque matin, il nous amène
les rêveries de Riley.

Montons à bord pour découvrir le cerveau de Riley.

Voici les Remue-Méninges.
Ils travaillent dans la Mémoire
à long terme.
Ils décident des souvenirs dont
Riley n'a plus besoin.

Les Remue-Méninges aspirent les vieux souvenirs et les envoient dans le Vidage mémoire.

C’est dans le Vidage mémoire
que se retrouvent tous les
vieux souvenirs.
Rien ne revient jamais du
Vidage mémoire.

Nous créons de l’espace pour
les nouveaux souvenirs de Riley.

Voici Bing Bong.
C’était l’ami imaginaire de Riley
quand elle était petite.
Ils partaient toujours à
l’aventure ensemble.

Riley a oublié Bing Bong.
Parfois, il est triste
et il pleure des bonbons.
Mais il aime toujours Riley.

L'endroit préféré de Bing Bong dans le cerveau de Riley, c'est le Monde de l'Imaginaire.

La Tour des Trophées, la
Forêt des Frites et le Village
des Nuages font tous partie du
Monde de l'Imaginaire.

Les rêves de Riley sont créés au studio Rêves Productions.

Regarde !

C'est Licorne Arc-en-Ciel.

C'est la vedette des plus beaux rêves de Riley.

Je l'admire tellement !

Devrais-je aller la saluer ?

Toute l’équipe se prépare
pour le prochain rêve de Riley.
Les scénaristes écrivent le texte.
Les acteurs enfilent leur costume.
« Action ! » s’écrie la réalisatrice
des rêves.

Tout le monde travaille
fort pour que les rêves
de Riley soient joyeux.
Les beaux rêves aident Riley
à dormir.
Parfois, il arrive qu'un cauchemar
la réveille.

Les grandes peurs de Riley se cachent dans son Subconscient. Deux agents montent la garde à l'entrée.

L’escalier du sous-sol,
l’aspirateur de grand-maman
et Django le clown y sont
tous enfermés.

Comme tu peux le voir, le cerveau de Riley fourmille d'activité.

En tant qu'Émotions, c'est notre devoir de la protéger.

Après tout, une bonne journée devient une bonne semaine, qui, elle, devient une bonne année, qui, elle, mène à une belle vie ! Et c'est ce que nous voulons tous pour Riley !